호랑이 들어와요
10
길찾기

호랑이 들어와요

아빠

겉모습과는 달리 허당끼가 넘치는 인물. 하지만 가장으로서의 책임감은 누구보다 강하다. 보기보다 배짱도 있는 편?

엄마

활달하고 정도 많지만, 나름 한 성깔 하는 면도 있는 인물. 그래도 남편과 아이들을 응원해주는 착한 아내이자 좋은 엄마다.

랑아

황호족 꼬마 신령. 랑아라는 이름은 호랑이를 닮은 아이라는 데서 온 것이다. 천진난만한 장난꾸러기. 아직 어린아이지만 힘은 정말 장사다.

호야

백호족 호랑이 신령으로, 랑아의 의붓언니 노릇을 하고 있다. 언니답게 나름 의젓하게 행동하려 하지만 아직은 어린아이다운 면을 많이 보이는 중.

금란

랑아의 친엄마이자 황호족의 우두머리. 사소한 일에는 신경을 쓰지 않는 대인배(!)이기도 하다. 마을에서 맛본 막걸리가 무척 맘에 든 모양.

연희

호야의 친엄마. 백호족의 우두머리이기도 하다. 평소엔 엄격, 근엄한 모습이지만, 실은 여리고 다정다감한 성격. 어린 시절 금란과 친구였지만, 모종의 이유로 관계가 서먹해졌다고 하는데….

천수

금란의 남편이자 랑아의 친아빠. 금란과 달리 차분하고 이성적인 성격으로, 황호족과 백호족 사이를 중재하러 다니느라 고생하는 중. 공처가(!)의 표본이다.

담비

금란에게서 신령의 기운을 받아 태어난 족제비(!) 요괴. 현재는 금란의 명을 받아 호야&랑아네 가족을 돕고 있다. 의욕도 넘치고 행동력도 좋지만 종종 사고를 치기도….

허찬

사정이 있어 산속에서 혼자 지내고 있던 도깨비. 호야와 랑아의 좋은 삼촌처럼 지냈으나, 현재는 여도사가 있는 곳에서 도사가 되기 위한 수행을 쌓고 있는 중.

백매

허찬의 여동생. 가족과 헤어진 채 떠돌아 다니던 중, 여도사와 만난 것이 인연이 되어 현재는 여도사의 보좌역. 기본적으로는 무척이나 활달한 성격이었지만, 지금은 차분한 상식인(아마도?).

여도사

인간과 요괴의 공존을 위해 노력 중인 인물. 마음씨 고운 미인이지만, 실은 요괴에 대한 흥미가 넘치는 괴짜다. 허찬에게 자신의 마음을 고백하고 현재는 수행을 쌓고 있는 허찬을 지켜보고 있다.

설화

은발 벽안의 구미호. 살고 있던 마을이 강경파 도사들의 습격을 받아 동료들과 헤어졌으나, 극적으로 태원과 재회하여 현재는 알콩달콩 지내는 중.

태원

설화의 소꿉친구. 갖은 고생을 한 끝에 설화와 재회하여 구미호들의 마을로 돌아갈 수 있었다. 현재는 설화와 행복하게 살고 있는 중(!).

무당

용하다고 소문이 난 무당으로 알려졌지만 사실은 무당인 척을 하는 사기꾼. 하지만 그 감만큼은 아무래도 '진짜'인 것처럼 보이기도 하는데…

수리

이름은 '수리'지만 실은 까치 요괴. 구렁이에게서 구해준 것을 계기로 무당의 집에 얹혀사는 중. 무당에게 단단히 콩깍지기 씌인 모양이다.

목 차

부-
활!!
뻗

와~ 원래대로 담비야!!!
꽝 꽝
꽝
쭈카해!!
에헤헤
수까!!
근데 어제는 나랑 같아서 좋았는데…
앗, 아…
지금은 랑아랑 같아서 좋아!!
캄사함다!!!
우리 다 같이 춤춰~!!

흠, 하루 쉬고
나니 문제없군
짝
짝
… …

어디 그럼~
어제 난리 통에 넘어간
내 막걸리를
확인해 보실까
천수님…
악수 하시겠습까?
내 막걸리!
상하지는
않았겠지?!

설마요
오히려 하루 더
참아서 딱 좋을
때일걸요?
이쪽으로
오서요
며칠 전부터
자기 막걸리를 얼마나
자랑하던지

슬
슬
음~ 향이 좋은걸?
저번보다
기대해도 되겠어
그렇죠?
여기 그릇이요
아니, 지금
먹을 생각 없으니
그건 됐다
둘둘
네?
안 드시는
거예요?
그럼 그렇지
안 뺏어먹으니
혼자 실컷 먹거라
거참,
나를 뭘로 보고
그런 게 아니라
기왕 먹는 거
다 함께
마실 나가서
더 맛있게
먹으려는 거야
…!
흐음

게다가 좀 여유롭게
마시고 싶으니
안에서 좀 쉬다가
담비 녀석이
애들 체력 좀 빼두면
가자고, 어때?
…뭐, 그런 거라면
나도 나쁘지 않다만

이렇게 우르르 몰려와서
민폐를 끼쳐도
되는 건지 모르겠군…

당연히 괜찮죠~!!
내 집처럼
편히 있으셔요!
그렇게 말해줘서
고맙구나

좋았으~
그럼 결정된 걸로
하고… 아아
마실 나가서
먹을만한 것도 좀
만들어다오!
알겠습니다~!
맡겨만 주세요!
금란…
너는 염치란 게
없는 거냐?

엥?
염치가 없다니
그건 너겠지

나는 막걸리라도
만들었지
넌 뭘 했는데?

…!

새근…

드르렁―

빈손에
아무것도 없이…
어휴, 염치없어
어휴

크…

무든 시켜다오

괜찮습니다

두 분 다
피곤한 일이
있으셨나 보네

혼자 한다고
말하길 잘했다

쿠후―

…그건 그렇고
두 분 사이가 전에 비해 많이 정다워지셨네
끼익

둘 사이가… 많이 좋아졌지…?
엇!

천수님~ 구석에서 뭐하고 계세요?
아, 혹시 드시고 싶은 거라도?
앗, 잠깐… 목소리 좀 낮춰줘

모자를 썼더니 애들이 계속 머리를 흔들어 달래서
여태 시달리다 빠져나왔거든… 우욱… …물 좀 줄래…?
아아… 여기요!
고마워~

후우
이제야 살겠네 아무튼!
잠깐 사이에 저쪽에서 또 여러 일이 있었거든

여러 일이라면 어떤…?
신목의 상태가 급격하게 안 좋아 졌었는데
금란이 돌아오고 나서 연희와 함께 상태를 많이 호전시켰어
덕분에 백호 쪽에서도 우리를 보는 시선이 제법 좋아졌고…
고생은 금란이 했지만
지금은 백호와 황호의 분위기 자체가 꽤 좋아져서
여태까지 일절 없었던 교류도 오가는 중이야
그래서 이것저것 조율할 일로 나도 좀 바빠졌지만 희소식이지!
화합에 대한 이야기도 오가고 있거든!
아하…

그거 잘 된 일이네요~!
축하드려요 오늘은 그럼 다들 기운 내라고 맛있는 거 잔뜩 만들어야겠네요
쪼이가!
예
그렇고말고~! 선조 대부터 이어져온 분쟁을 우리 대에서 해결하는 거니까!
고마워~ 그래도 너무 무리는 하지 말고
미안하지만 난 여기서 눈에 안 띄게 좀 쉬고 갈게
휘리리리리리릭
와

텅

슝—

다녀오겠슴다!!
다녀 올게요~!
따오께~!!
우르르
음?!
… …
담비가 있으니 괜찮으려나…
?
애들은?
…담비랑 밖에

다녀왔습니다~
쫌미~
발라당
아이고~ 다들 먼지투성이 된 것 봐 먼지 닦자!
놀러 나가자!!
안대~ 우리 너무 지금 힘드러~ 그치~?
동감임다!!
내이래!!
덜컹

벌
떡
?!
?!

후아암~
후오옴~
어이, 장난감 챙기는 거 아직이냐?
준비 완료!
기다려어! 하는 중이야!
어… 어… 그리고 그리고 또…아, 이것도!!
스윽
랑아 자는 거냐?!
호야, 챙길게 많니? 역시 엄마가 도와줄까?

아~ 안돼!
안된다니까!!
엄마는 이리 오지 마
저리 가!
자면 안 돼!
자아, 흔들흔들~
!

저희 그런데
이번엔 어디로 가나요?
저번처럼 바다?
오, 바다에 갔을 때
확실히 좋긴 했지

하지만 이번엔
다른 곳에 갈 거다
이럴 때 가려고
미리 봐둔 곳이
있거든

집 주변 냇가보다
경치도 트여있는 게
상쾌해서 좋네요!
뭐… 확실히
그렇긴 하다만
이럴 때를 위해
찾아뒀다고 한 거치곤
그저 그렇군
나 여기 좋아!
핫, 그렇지?

음, 좋은 곳을
잘 골랐구나

이 팔불출이…

물고기 크다~
우리 다 같이 물고기
많이 잡기 시합해!

그래, 좋지
재밌겠구나

어어, 잠깐 그럼
하루 종일 물고기만
잡게 되잖아

그거 말고
큰거 잡기
시합하자!

그것도 좋아~!

어디 그럼 가볍게
몸부터 풀어볼까~

뭐 할 건데~?

음~
뭐부터 할까~

밥이요

다들 배고프죠?

그거 좋지!
밥부터 먹자고!
맘마!
그늘로
그늘로~~

다들 그릇
받았나요~?
나랑 랑아가
다 똑같이
줬어!!
이따가 먹을
내 막걸리 안주는
따로 있겠지?
그럼요
꼭두 새벽부터 잔뜩
준비했는걸요

탓

음, 잘 말라있군
뛰어놀기 딱이야
우리도
데려가~!
우움마!
가치!
속
속

별로 안 머니까
직접 뛰어서 와봐!
?!
못해~~!
너무 멀자나!!

할 수 있어~
나도 너희 나이 때
다~ 한 거야!
!!
랑아 하려고?!
스 윽

이야!!
띠
요
용

펄 쩍
에잉...

와하하
우리 편이 원안에 더 많이 넣었으니
진 쪽은 벌칙이다~!
그걸 꼭 해야 하는 거냐 금란…?
우린 심판~

둥실...

와~ 잘 뜬다!
졸 졸 졸

그리고 엄청 빨라!
벌써 거의 안 보여~
타닷
어, 랑아!!

나도 같이 가!
헤헤, 우리 갔다 올게~?!
그래~ 다녀와라 가는 김에 냇가의 끝도 보고 오도록
응, 가자 담비!!

저녁에 쓸 장작 구해 왔습니다
음…? 아이들은 어디 있지? 같이 있는 거 아니었나?
어~ 나뭇잎 배 따라갔어
뭐라고?! 말려야지 무슨 짓을 하는 거냐!!
담비도 같이 갔으니 걱정할 거 없다
그리고 이따 재우려면 체력 좀 제대로 빼놔야지 게다가…
저렇게 기분 좋게 뛰노는데 어떻게 안 된다고 해?

꼬리
꼬리
오~ 왔구만
냇가의 끝은 제대로
보고 왔냐?
호야!
예쁜 돌
많이 주웠어
달각
응?
여기 와서
하나씩 가져가~!
어머나~
감사합니다~
보석보다 예쁘구나
소중히 간직하마

허푸!
챡
우푸!
나마 자야찌!!?
그래 우리 랑아 혼자 잘 씻는구나
아주 장하다 장해

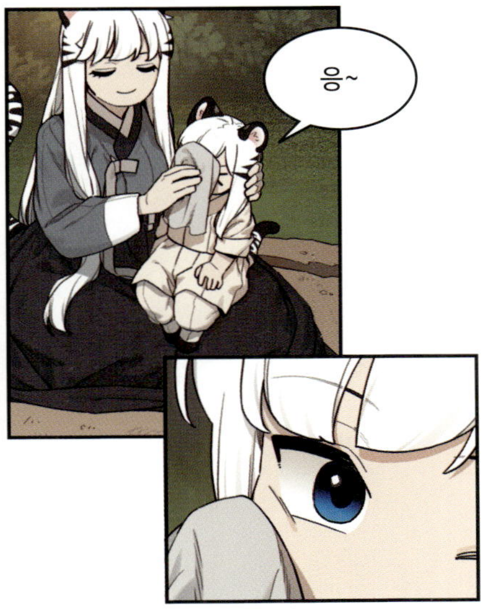

응~

어디…
물고기…
풀어줄 거야…?
다 같이
힘들게 잡았는데…
우리 밥은 어쩌지…?
?!
아니…
구워 먹기 편하게
손질하려고…
아하~ 손질
하는구나
나 손질 하는 거
처음 봐, 뭐 할 거야?
이쁘게 목욕??
그 다음엔 배를…
음… 일단
비늘을 벗기고
슥…

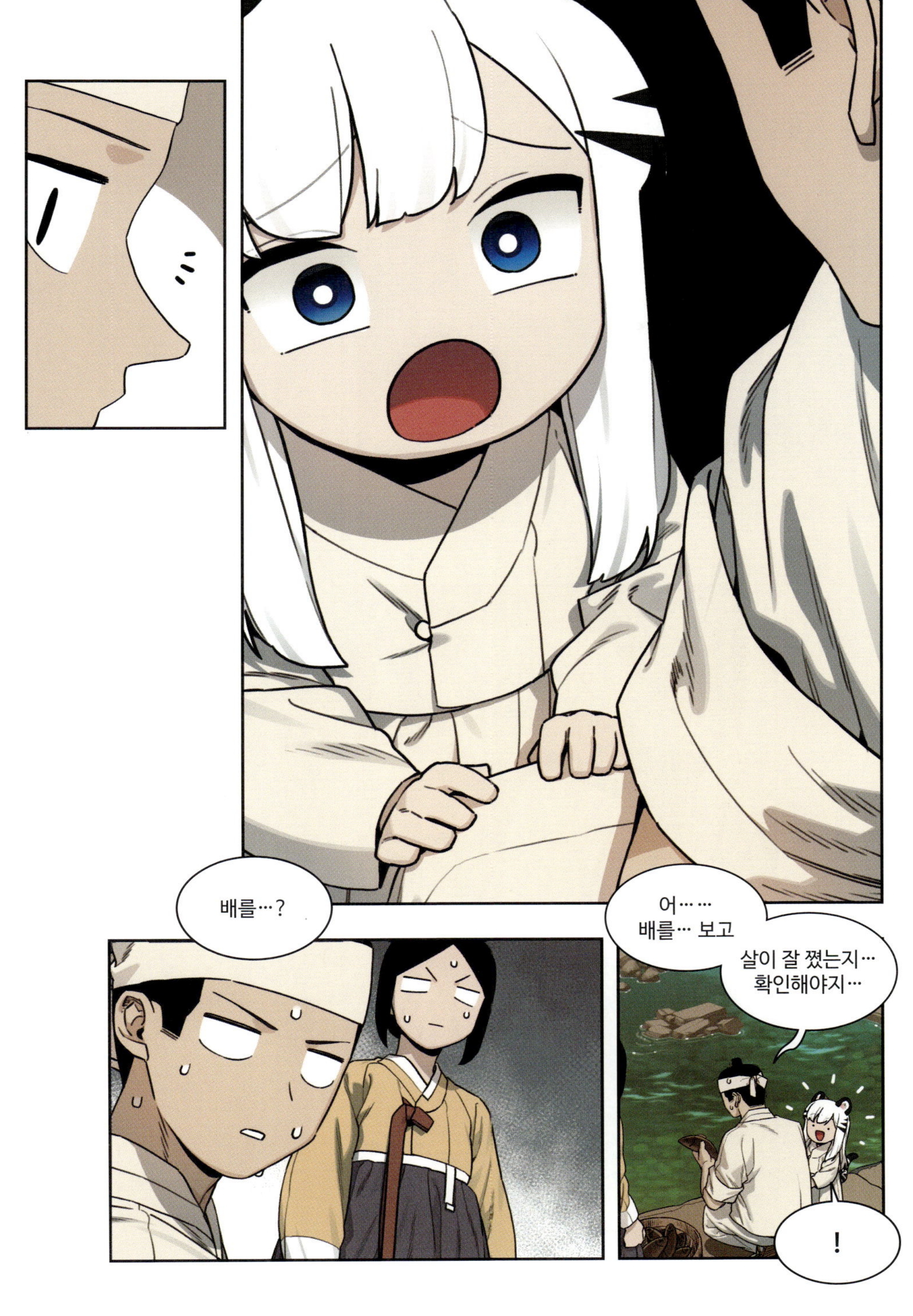
배를…?
어……
배를… 보고
살이 잘 쪘는지…
확인해야지…
!

휴우
그렇구나~!
잘 쪘어, 통통해!!
나 물고기
많이 먹었으니까
잘 알아!
…그렇구만
물고기 줘봐!
내가 옆에서 계속
확인해 줄게~
음…!
계속?!
호야,
저기서 엄마랑
놀지 않으련?
집에서
뭘 가져왔는지
궁금하구나!
아, 맞다!!
장난감!

나도 할게~

둥실~
와아~ 잘 난다~

나올 때 뭘 그렇게
챙기나 했는데
연을
가져왔군
응, 이거
옛날부터 같이하고
싶었으니까!

이렇게
좋아하는 걸 보니
더 일찍 놀아줄 걸
그랬구나

근데 너무 잘해서
내가 알려 줄 게
없네…

알려주려고
연습 많이 했는데…
한 번에
잘도 했어…
앗… 아아…

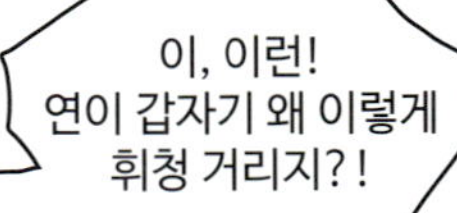

이, 이런!
연이 갑자기 왜 이렇게
휘청 거리지?!
떨어질 거 같은데
어떻게 해야 하는지
알 수가 없군!!

내가
알려줄게!!!
근데 나
날리는 방법만
아는데?
….!
이럴 때는
실타래를 좀
느슨하게…
그래, 호야가
알려주려무나!

아하~
나중에 랑아도
알려줘야지

나마~
나마도 시켜조~
시켜조오~
아장
아장
!

응, 이거 이제
랑아거! 이리 와~
나 다른 것도
많이 가져왔거든?!
다 같이해!
우오오
지켜야·한다···!
그래, 다 함께
잔뜩 놀자꾸나

타닥
탁
우-!!
아잇, 가시
나뿌우누우
우구누우누

가시를 고른다고
고른 건데…
랑아 미안~
틱
웅
어때? 어때?
끝내주게 잘 만들었지?
내가 직접 만든 거야
찰랑
…아까부터 같은
소리를 몇 번이나
하는 거냐, 금란
분명 먹을만하다고
말했을 텐데?
그~런 식이니까
계속 말하는 거 아냐!
솔직히 맛있다고
말하라고~!
가장 큰 물고기를
잡았다지~?
뿌
둣
아오―!!
호록
…뭐, 맛있게
먹을만하군
호야는 물고기
다 먹었니~?
하나 더 갖다 줄까?
… …
깽차
깽차
…호야?

좌르륵
호야 아씨??
꾸벅
꾸벅
앗

주무시고
계심다~!

아, 랑아도
자네

자기~ 두꺼운
보자기 가져왔거든?
좀 꺼내다 줄래?

숙

내가
가져다 주마

잠깐 기다려봐

단둘이 하고 싶은
이야기가 있어

…하고 싶은 말이라니 좋다, 들어주지

내가 호야를 데려온 후에 말이야
단둘이라니까
왜

저쪽에서 오기 전부터 약속했잖냐
막걸리 마시면서 둘이 이야기 나누자고~
이거 찾던 거 맞지?
그러긴 했다만 어차피 쓸데없는 말이겠지
황호와 백호의 화합 이야기인데
이게 쓸데없는 이야기인가?
참방

…!
!!,!!!!
???!
뭔데 뭐야 무슨 일이야

네 입에서 어떻게 그런 말이…!
너는… 너는 내가 아는 금란인가?!
그렇다면 늘 취해있거라! 그게 모두를 위한…
그만해 나 맞고 제정신도 맞아
…갑자기 기분이 확 내려가네?
아, 술! 술이 너를 이렇게 만드는 건가?!
애초에 지금 화합만큼 중요한 일이 어딨어?
그, 그렇군… 하지만 난 그 이야기를 마무리하는 건 천수라고 생각했다…
호의장에 오는 건늘 천수 였으니까…
금란이나 부하들은?
…그러게?
그… 그땐 바쁜 일이 있었어!!
바쁜 일? 부하들이 회의 날 수련장에서 널 봤다던데 거기서 말이냐?
……
…! 그거 나 아니야! 뒷모습을 잘못 본 거겠지!!
그리고 그것보다 화합!! 화합 이야기다!

금란은 이야기를
시작했군

어디 그럼…

쌔근…

담비도 완전히
곯아떨어졌구만
그럴만하지
사실 아침부터 제일
고생했으니까

저기 두 사람~
혹시 지금
피곤하니?
엇, 아뇨 저는
괜찮아요
저도
쌩쌩합니다
다행이다 그럼
우리 조금만 걸을까?

사실 두 사람 다
피곤할 텐데 미안해~
금란이 연희랑
단둘이 이야기 하고
싶다는 탓에…
그런 거라면 저희가
피해드려야죠~

그런데 중요한 이야기 인가 봐요?
오기 전에 황호와 백호의 화합 이야기를 했던 거 기억나?

그 일을 앞두고 우두머리끼리 풀어야 할 게 있다고 했거든
아하…

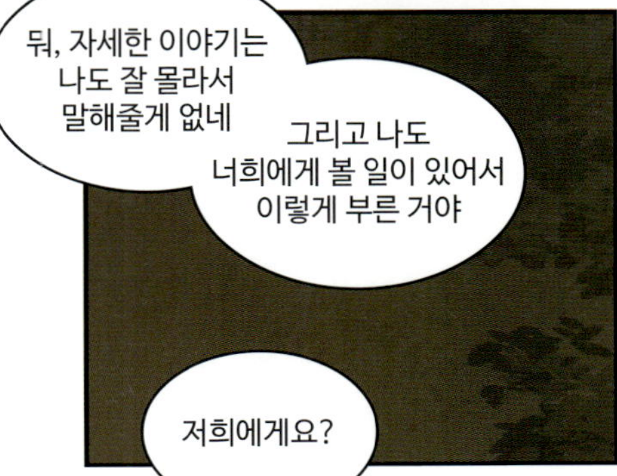

뭐, 자세한 이야기는 나도 잘 몰라서 말해줄게 없네
그리고 나도 너희에게 볼 일이 있어서 이렇게 부른 거야
저희에게요?

그럼 그럼 너희를 위해 선물을 챙겨왔거든
뭐냐면~

정말
믿기지 않는군
똑
뭐가
금란 네가
화합에 관심을 보이고
말을 꺼낸 게 말이다
뭐…
하지만 아주
의외는 아닌가
요 며칠간 너도
말썽 안 피우고
뭐든 열심히
도왔으니 말이야
서로의 규율에
관한 의논을 할 때도
천수가 왔었고
교류회에 대한
일정을 잡을 때도
천수가
회의에만
얼굴을 내비쳤으면
좋았을텐데 늘 천수가
온 게 아쉽군
그리고
영역에 관한
이야기를 할 때도
천수…
찌릿
설마 화합식 때도
천수를 대표로 내세울
생각은 아니겠지?
단 한 번을 못 올
정도로 말이지…
당연히 아니지!
그보다 이 이야기
언제까지 할 건데?!
앞으로의
화합에 대해
이야기해야지!
아니… 뭐…
그때마다
바빴지…

흥, 그러니까 제대로 얼굴을 내비쳤으면 좋았잖느냐
그리고 화합에 관해서는 걱정할 필요 없다
너도 알다시피…
최근 황호와 백호 간의 두터운 담이 허물어지고
오랫동안 단절되었던 교류가 활발히 이루어지고 있는 중이니까
이런 변화에 가장 큰 영향을 준 건 금란

너와 내 신목의
제사다

그날 이후 전에
없을 정도로 건강해진
신목의 모습이

우리 백호들
사이에서 너에 대한
불신을

나아가 무책임하고
방자한 황호에 대한
인식을 크게 바꾸었다

너와 내 신목의
제사다

하이고~ 지쳤다
넌 힘들지도 않냐?

쌩쌩하면 가서
물 좀 떠와

물론 태도는 조금…
꽤 불량했을지
몰라도

후훗…

아, 그리고
천수의 공로도
빼먹을 수 없지

네가 가져다
마셔

퍽

아!!

화합 후 일어날
문제에 대한 이야기와
타협안을 제시해
주었으니 말이야

지금은 그 정도로
충분해

다만…

천수의 건강이
걱정이니 좀 더
신경 써다오
지금뿐만 아니라
앞으로도 쭉 애써야
하니까 말이지

서로 간에 길었던 앙금이 아물고 평화가 이어지는 거다
속
뭐, 그건 우리 이야기가 다 끝났을 경우지 연희 너…
따로 나한테 해야 할 말이 있잖아?
…?
너에게 해야 할 말…?
필요한 말은 이미 다 한거 같은데
여기서 뭘 더 해야 한다는 거냐
타닥
탁

그런 식으로
나온다면 화합은
불가능하지
벌떡
뭐라고?!
그게
무슨 소리냐, 금란!
농담이겠지?!
농담 아닌데?
진심이야
쿡
어째서 그런…
화합은 분명 너에게도
큰 이득일 터인데…!

그래, 신목!
네가 그렇게 좋아하는
신목에도 마음껏
…은 아니지만
적법한 절차를 거치면
원할 때 오갈 수
있다!!
아~ 그거?
별로 관심 없어~
뭐라고…?
그렇다면 어째서
뻔질나게…

그야,
그쪽으로 가면 네가
튀어나오니
얼굴 한번 볼 겸~
하는 생각이었지
갑자기 나도…
화합이 싫어졌다…

아니, 내가
무슨 생각을…!
신령 전체의 일에
개인 감정이라니!
절레
절레
에잇, 이게
끝인가

참자… 참고
대화하는 거다

그리고 분명 후대에
훌륭한 우두머리로
오래도록 전해지겠지
어떠냐, 또…

그만

금란…
그런 게 아니더라도
너에 대한 모두의 평판이
높이 오를 것이다

그런 걸 이야기
하고 싶은 게 아니야

너와 내 신뢰에
대한 문제지

슥

어렸을 때
갑작스레 연을 끊었던
이유가 뭐야?

…!

…그때와 비슷한 장소를 고른 것에서 혹시나 싶었다만
역시 마음에 두고 있는 건 그 일인가
나는 제대로 된 사정을 듣고 싶었지만
넌 내 기척이 느껴질 새면 자리를 뜨기 바빴잖아
당연한 소릴 그날 이후 네 태도가 어땠는데?
각자 우두머리가 된 이후에도 넌 사적인 대화는 일절 하지 않았지
마치 처음부터 만난 적 따윈 없었던 것처럼…
이제 이유를 말해 줄 때도 되지 않았어?

그때의 일은 사과하마 미안하게 되었다
나름대로의 사정이 있었으니 이해해다오
그 사정이란 건 백호 전체의 이득과 관련된 일인가?
연희 너는 그런 일에 지나치게 냉정해
그때도 그런 식으로 연을 끊었는데 내가 널 어떻게 믿고 화합을 하겠어?
걱정 마라 그런 이유가 아니었으니
화륵
그렇다면 숨기지 말고 시원하게 말하면 되잖아
……
저것 봐 또 입을 다물고!
그 말대로라면 다른 이유가 있을 거 아냐!

그냥 솔직하게 말해 어릴 적 내가 마음에 안 들었다거나
한대 쥐어박고 싶어서 싫어졌다거나 뭐 그런 거!!
훗

푸후훗…
하하하하!!
?!
버럭
왜 웃어!
아니…
너도 알긴 아는구나
싶어서 말이지
조금은 염치가
있구나
씨익
씨
하지만
그런 이유는
아니야…
뭐야?!
오히려
그 시절에는
즐거웠지

널 보며
화가 났던 것도
처음이 잠깐…

숨 막히던 그 시절
너와의 시간이 어찌나
즐겁던지

매일매일
기다려질
정도였어…

그럼에도
이야기를 않았던 건
한심한 과거였기
때문이다

그 시절의 나는
그저 아버지의 가르침 대로
따를 뿐…

우두머리는
백호의 장래만을
생각해야 한다

너와 시간을 보내며
그런 말들에 의문을 품긴
했지만…

황호는 어리석고
천박하며 그 근간이
사악하다

너에 대해
아버지에게
추궁 받은 후

그저 사시나무 떨듯
떨기만 할 뿐

어떠한 말도
하지 못한 채
너와의 관계를
끊어냈다

네가 백호의 위신을
땅에 떨어뜨리는구나

스스로 생각하기를
그만둔 거지

그 후로는
정말 많은 게
잘못되었다

그때의 일을
외면하기 위해
속마음을 숨기고

가르침대로…
그게 옳다고 생각하며
지내왔으니까

정말 얼마나
어리석었는지…

그 부부를 보며
느낀 게 많아
그들처럼…
뭐가 소중한지 제대로
생각했더라면
훨씬 일찍
모든 게 잘 풀렸겠지
너와도…
그리고…

그날에 대한 이야기는
이게 전부다

너에게는 지금까지
모질게 굴어 진심으로
미안했고

화합 이후
돌아서는 일은 절대
없을 거라고
맹세하마

나도 지금은
뭐가 중요한지…

깨…

…!
금란 너!!

지금까지 일은
이걸로 퉁 쳐주지

남은 건 화합식 뿐…
바빠지겠어

더 듣고 싶거나…
하고 싶은 말은
없는 거냐?

늙은이 눈치 보느라
그랬다는데 더 할 말이
뭐가 있겠어?

나… 남의
아버지를
늙은이라니…!

정신 나간
영감!

더 심해졌잖느냐!!

이것도 좋게
불러준 거니
고마운 줄 알아!

것보다 지금
신경 써야 할 건 그게
아닐 텐데?

그래, 중요한 건
화합식이지

우두머리인
우리 둘의 역할이
중요할 것이다…

함께
잘 해보자꾸나

하아

돌았냐?
잡으면 끌어당길게
뻔한데 그걸 잡아주게

그런 짓 안 할 테니
걱정 마라

흐음…

풍덩
야!!!
하
하
하
…

연희나 금란과는
이미 이야기를 나눴단다
너희에게 이게
필요할 거라고

자, 받으렴

신과로 만든
환이란다

신과로 만든
환이라니…
엄청나게 귀한 거
아닌가요?

그래,
사람이 먹는다면
만병통치와
무병장수…
그 가치는
이루 말할 수
없을 정도지

사실 너희 부부를
처음 만났을 때부터
주고 싶었지만
그땐 그럴 수
없었단다
일단 연희와
대화가 어려웠지

그 당시 연희는 굉장히 고압적이었던 데다가

그래서 기회만 살피던 중 최근 두 가지 문제가 다 해결되었어

신목은 건강해지고 연희는 예전보다 훨씬 둥글어졌지

신과도 어느샌가 잘 열리지 않는다 들었거든

내 추측일 뿐이지만 신목이 다시 건강해진 건

기운을 불어넣는 우두머리 신령들과 연관이 크지 않나 싶어

기록에 의하면 백호와 황호가 갈라 선 후 상태가 점점 나빠졌다고 되어 있었는데

연희가 마음을 열고
많이 호전되었으니
말이야

절대 변하지
않을 거라 생각했는데
정말 의외였지

그리고 이런
변화는 분명…

너희 덕이야

그러니 부디
받아주렴

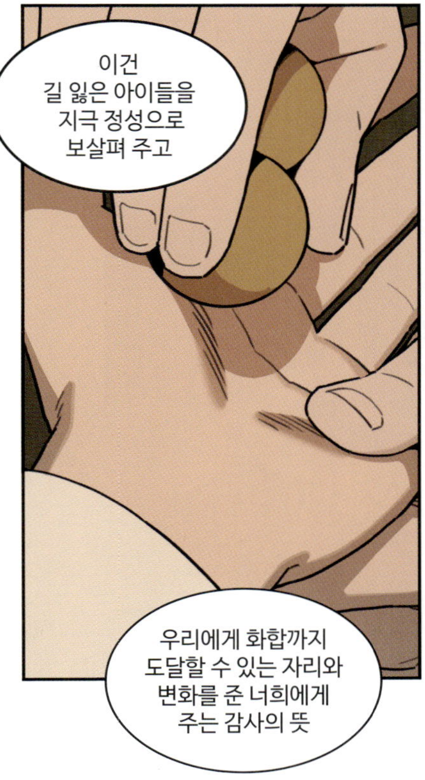

이건
길 잃은 아이들을
지극 정성으로
보살펴 주고
우리에게 화합까지
도달할 수 있는 자리와
변화를 준 너희에게
주는 감사의 뜻

이걸 먹으면…
아이를 가질 수
있을 거란다

이걸로
아이가…?

음,
너흴 처음 만났을 때
몸 상태를 살펴보니

신과로 해결할 수
있다는 걸 알았거든

끄덕

약간의
건강 문제…

어라?!

뭔가 두 사람 반응이…
기쁘지 않은 거니?

아이를 엄청
가지고 싶어 했던 거
같은데…

앗, 아뇨
분명 기뻐요

다만…

랑아와 호야가
오고 난 후 그런 소망이
이루어져서…

이제는 이 상태로도
괜찮지 않나 싶습니다
…!

그렇구나,
하지만 앞으론
지금같지 못할
거란다
너희도 알고 있겠지만
황호와 백호간의 화합이
눈앞에 와 있거든

자 박…

네?

아마 그에 따라
화합식도 성대하게
열리게 될 거고…

그 의미를 갖추기 위해
우두머리의 가족도 빠짐없이
참여해야 할 거야

그리고 그 후 새로워진
신계의 환경에도 적응이
필요하겠지

그, 그 말씀은…

…그래

랑아와 호야도
신계로 돌아갈 필요가
생겼다는 뜻이란다

그건…

그래, 화합을
앞두고 있는 이상
정해진 사항이야

저희가…
신과를 받지 않아도
변함없는 겁니까…?

역시
그렇습니까…

사실…

평생 지금처럼은
살지 못할 거라고…

아이들도
언젠가는 제 자리를
찾아갈 거라고…

어느 정도 생각은
하고 있었어요

그래서 늘 함께
있는 동안 한순간이라도
더 잘 해주자고
생각해 왔는데…

그랬는데…

이대로 영영
헤어진다고 생각하니…

엇, 잠깐만?!
어째서 그렇게
생각하는 걸까…
그야…
돌아가서 적응해야
한다고 해서…
신령님들의 시간은
저희보다 훨씬 기니까…
아아~
그렇구나 미안해,
내가 너무 서론이
길었나봐

영영 헤어진다고는
말 안 했는데?!
호야와 랑아가 고향인
신계에 적응도 하면서
너희와도
잘 지낼 수 있도록 자주
오갈 생각이란다
지금의 연을 계속
이어나가 줬으면
좋겠어

네?!
정말요…??

빌떡

그래도 되는
겁니까?!

그럼~ 정말이지
갑자기 휙 떠날 거라고
생각했니?

우릴 너무
정 없게 보는구나

너희는 이미
호야와 랑아,
그리고 담비에게 소중한
존재가 되었는데

이대로 헤어지는 건
누구도 바라지 않는
일 이라고 생각해

그리고 신계에
변화가 생기면 더 많은
신령들이 인간계로
나오게 될 거야

지금까지 분열된 채로
서로 통제하느라 굳혀진
인간에 대한 옛 가치관을
바꿀 필요가 있으니까

그래서 더욱이 너희라는
좋은 선례가 남았으면
하는 바람이란다

내가 오늘 환을
건네 준 건 이별 대신
이라는 뜻도 아니고

정말 순수한
감사의 뜻…
가족은 많을수록
좋잖아?

그러니…
아이를 가지렴
모두가 지금보다 더
행복해지기 위해

네…!
좋아, 둘 다
안심한 거 같아서
다행이네
어디 그럼
시간도 제법 지났고
슬슬 돌아갈까?

둘이 싸웠니…?
금란 네가 먼저 시작했잖느냐
그건 정당한 거였지 네가 날 속인 게 문제잖아!?
이 녀석 때문에
금란~ 화합을 앞두고 있으니 사고 치지 말자고 약속했잖아
왜 나한테 뭐라고 하는데!!
좌~~악

너도 당해볼 테냐?!
어!!?
휘익
첨벙
악!!
으…
너무 시끄러워…

어~
보름은
몇 밤??
열 다섯 밤
열 다섯 밤입니다
호야아씨
아하,
열 다섯 밤!
그럼 열 다섯 번
미리 아침 쪽이야
그래도 해야 돼!
그치, 랑아?!
웅!
쪽
쪽
움마
움마
아하하, 호야
너무 간지럽다~
아침 쪽이
뭘까
잘은 모르겠지만
분명 중요한
의식이야

이제 출발하면 될 것 같슴다!
타박
담비, 바구니는 결국 안 들고 가기로 한 거니?
예, 이게 있어야 밤에 푹 잘 수 있지만
매번 들고 다니면 일찍 망가질 거 같고…
한곳에 둔다면 역시 이 자리라고 생각함다!!
그래, 그럼 우리가 지켜줄 테니 마음 푹 놔~
잘 부탁드림다!!
맡겨만 주라고…

번
쩍
준비 끝!
언제든지 신계로
출발 가능함다!

꺄-
우다다다

다들 조심히…
꾸욱

소곤
소곤
귀 대봐, 귀
삼촌이랑 이모가 부끄러우니까 비밀 이랬는데~
신계에 있는 다른 삼촌 이모들이 우리 보고 싶어서 엉엉 울고 있대~
어른들도 보고 싶은데 못 보면 눈물이 나오나 봐~
그래서 있지~ 우리가 지금 달래주러 어쩔 수 없이 가는 거야~ 알았지~?
그러니까 엄마랑 아빠도~
우리 보고 싶어도 쪼끔만 참아~?
참
우리가 어른들 금방 달래주고 올게~ 알았지?

너무 심심하면
우리 장난감 가지고
놀아도 돼!

그래, 엄마 아빠
약속대로 집 잘 지키면서
기다릴게
응!

우리 보고 싶어도
쪼끔만 참아~?
움-마
빠야-
가~따오께~

…!

그… 그래!
모두 잘 다녀와!!
조심히 다녀와~!!!

랑아가 똑바로
갔다 올게라고 했어!!
나 들었어!

역시 랑아아씨!!
천재임다!

에헴!

…이제
안보이는구만

한동안
조용하겠어

…고마워
잉, 갑자기 뭐를…?
나 처음에 무당이 여기로 가라고 할 때 절대 안 간다고 불평만 했는데
당신이 끝까지 설득해서 나 데리고 와줬잖아

그래서 지금의 모든 게 당신 덕이라고 생각하니 너무 고마워서…
뭐… 그게 어디 내 덕인가…
아니, 그럼 누구 덕인데 내덕은 아니잖아~

나도…
그러니까 분명 네 덕도 있지…
너 아니었으면 여기 안 왔을 거다…

옛날 옛적
어느 깊은 숲속에
금슬 좋은 부부가
살고 있었다

마을에서 떨어진
외진 생활이었지만
부부의 집에서는
웃음소리가
끊이지 않았고

시간이 흐르고
계절이 지남에 따라
그 웃음소리에
행복에
크기를 더해 나갔다

부디 그들 부부가 그랬듯이
인연이 닿았던 다른 모든 이 또한
어제보다 더 웃을 수 있기를
어제보다 더 행복하기를

쨍
후우…
햇볕도 센데 혼자 밭갈기 힘들지? 같이 할까?
괜찮어, 같이 하다 애들 따라나와서 더위 먹을라
그럼 해 떨어지고 좀 선선해지면 하지~
곧 랑아 호야 올 텐데 그전까지 끝내고 싶어서…
왔을 때 밭이나 갈고 있을 순 없잖어

그래 알았어 자,
둘 다 아빠 힘내세요
하자~
아빠~
우리 저기
가있을게 필요하면
불러~
재밌는 거
혼자 하지 마!
'아빠
힘내세요'
라니까!
그려
?

잉, 뭐가…
돌이나 나무뿌리
느낌은 아닌데…
드득
드륵

잉, 뭐가…
돌이나 나무뿌리
느낌은 아닌데…

여보! 애들 데리고
와봐 빨리!
어, 왜?
역시 같이 하게?
빨리 와서
이것좀 보라니까!
-완-

호랑이 들어와요

자아,
피곤하실 텐데
이것 좀 드시면서
하세요~

혈액 순환으로
피로를 풀어주고
공부를 도와줄 생강차를
가져왔답니다

딸까

알싸함과
잘 어울리는
유과도 있어요,
오라버니~

…뭐 하냐, 너?

뭘 말씀이신가요 오라버니?
뭐긴 뭐야 이것들 말하는 거지
너 요즘따라 아주 낯설어?
대체 왜 이래? 뭐 잘못 먹…
톡 톡
백매낭자
도사 일로 바쁜 와중에도 오라버니를 챙기는 마음씨가 참 곱습니다

저도 동생이 있는데 백매낭자를 조금이라도 닮았으면…
아, 이런 오라버님과 말씀 도중에 끼어들어 실례했군요
아니에요 마침 딱 대화가 끝난 참이었는걸요
그거 다행이로군요 참, 그리고 다음 임무 건으로 나누고 싶은 이야기가…
알겠습니다 그럼 먼저 맡은 일이 있어 끝나는 대로 별채에 찾아가겠습니다
꾸벅
…!
한가하니 언제든지 불러만 주세요!
네, 네! 기다리고 있을게요!
서두르지 마시고 천천히 오세요!
끼이익
탁

저벅
저벅
저벅…

처먹은 건
똑바로 치워라
휙
뭐야 이거

에휴
…그러니까 결국
그 내숭 떤 게 다
저 녀석한테 잘 보이려고
그런 거야?
그래, 그러면
안 돼?

아니,
그런 건 아닌데
너도 참 특이하다
반해도 저런 하루 종일
골방에서 글이나 읽고 쓰는
녀석한테 반하냐
… …

야, 야…!!
누가!
콰
쾅

언니한테 반한
오라방이 할 소린
아니지?
여기 도사들이
얼마나 정보에
빠삭한지 알아?!
오라방이 언니
좋아하는 거 이미
철 지난 이야기라고
도사들
할 일 없냐?!

그리고 내 일에
신경 끄고 공부에나
집중하시지!

오라방이
도사 시험에 떨어진지
벌써 몇 번째인지 알아?
네 번째야, 네 번째!

크윽…

매번 자신 있다며
큰소리나 치지 말든가!

그렇게 지겹게
떨어지니깐, 봐

애들도 예전엔
웃으면서
반겨줬었는데…

어서 와~!
도사 됐어??
시험이 뭔데?

앗쌍~
시험 또?
다음엔 잘해~!

랑아
잘하지~?

아직도
도사 아니야…?

얼렐레

이리 와서
아가 동생들이나
웃겨 봐

그만!!!

흥, 자존심이 조금은 남았나 보지?
왜
칫…
그러면 어서 붙도록 해!
어니한테 어리광 부리는 것도 적당히 하고!
뭣… 야!! 내가 어어어, 언제 어리광을 부렸는데!
밤마다 언니가 자는 시간까지 아끼며 공부 가르쳐 주잖아
그게 왜 어리광이야…!
그 녀석도 자기 복습이 되니 좋아서 하는 거랬어!!
무리해서 하는 게 아니랬다고!!
하아…
바보냐?

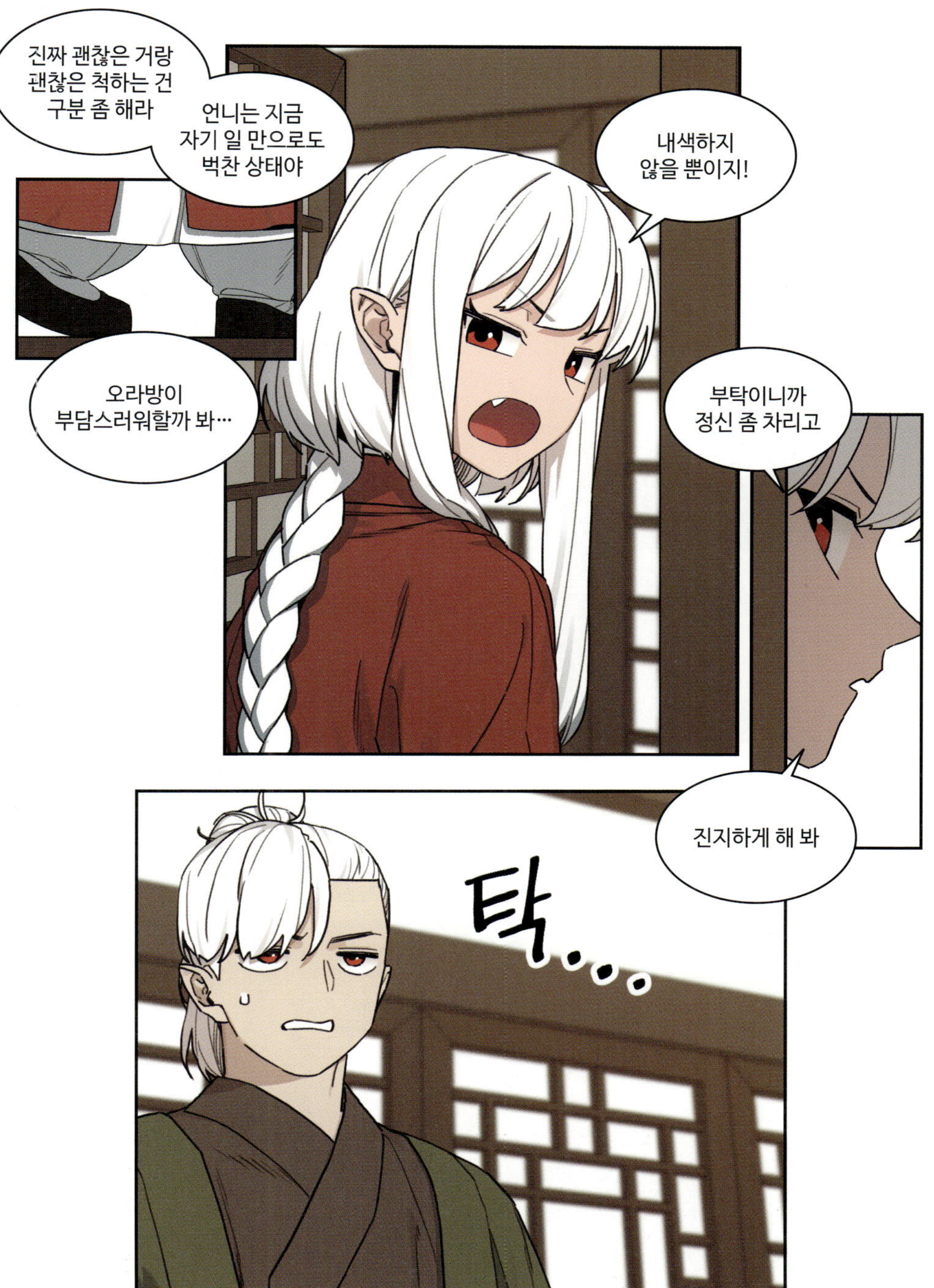

진짜 괜찮은 거랑
괜찮은 척하는 건
구분 좀 해라
언니는 지금
자기 일 만으로도
벅찬 상태야
내색하지
않을 뿐이지!
오라방이
부담스러워할까 봐…
부탁이니까
정신 좀 차리고
진지하게 해 봐
탁…
언니는 지금
자기 일 만으로도
벅찬 상태야

…흥, 다 아는 척
잔소리하기는

턱

… …

흠 흠♪
흠♬

허찬님~?
제가 왔답니다
좀 늦었지만
오늘도 함께 집중해서
공부해 볼까요~?
팔랑....
딘
킹
어머나~?

이미
혼자서 집중하고
계시는군요
그 모습을 보니
저도 분발해야겠다는
생각이 듭니다
저벅

드르륵
그럼 평소처럼 옆에서…
턱
?
허찬님…?
짜악…
앗, 어머나?
끄응
끙
어머나 어머나~?
왜 손에 힘을…

그렇군요, 오늘은 마주 앉아 공부하고 싶다는 뜻이시죠?
드륵
아니야!!
…… ……
아닌가요? 그렇다면 왜…
…딱히 별건 아니고 그냥 오늘은 혼자 집중하고 싶을 뿐이야
아니… 오늘만이 아니라 당분간은 계속…
혼자 하는 게 생각보다 잘 되는 거 같거든
…… ……
후훗, 알겠습니다
팔랑
그러니까 내 걱정은 말고 가서 쉬어

어디 그럼
말씀하신 대로
할까요?

응…?

야, 너…
내 말 제대로 알아
들은 거 맞지?

물론입니다!
지금부터 저는
휴식을 취할 거예요

드륵~

제가 제일 좋아하는 장소에서 말이죠
…!
아, 아니 혼자 집중하고 싶다니까!
후훗, 계속 그렇게 말씀하시니 뭔가 다른 속내가 있는 것 같군요
제가 옆에 꼭 붙어서 감시해야겠습니다
그런 거 없어! 너야말로 심심하다고 후회나 하지 마
집중하느라 절대 말 한마디 안 걸 거니까!
물론입니다! 자, 그럼 시작하실까요? 저도 푹 쉬도록 하겠습니다

팔랑...
후우…
억지로 읽곤 있지만
머릿속에 하나도
안 들어오네
애초에 이 상태에서
잘도 집중이…
새큰…
새큰…
…!
이 녀석
잠깐 사이에
잠들었잖아?
역시
괜찮은 척해도
많이 지쳐
있었구나

저는…
허찬님이
좋은걸요?
스윽

왝

에이,
자는 사람을
상대로 무슨…

!!!

너…!
언제부터
깨있었어?!
후훗, 글쎄요?

그보다 계속
안 하시나요?
뭐, 뭐를???

공부 말입니다만
!!
아, 공부~!
공부하고 있지,
해야지!
그렇고말고!!

그런데 그 뭐냐…
오늘 아침부터
집중을 했거든?

그러다 보니
목이 좀 뻐근해서
운동을…

스윽

그런 거라면
제게 맡겨주시죠

…!

뿔뿔
꾸욱
꾹
아니…
이제 괜찮아졌으니
신경 쓰지 마
그렇게 사양하지
마시고 어서요
가문 대대로
전해져오는 비장의
안마법을 보여
드리겠습니다
정말
괜찮은데…

어떠신가요
목이 점점 풀려가는 게
느껴지시죠?
어, 어…
확실히…
후훗, 비결은 아주
섬세한 손기술에
있답니다

조잘
조잘
평범한 안마와
별다를 바 없어 보이지만
저희 선대의 선대부터
꾸준한 시행착오로
최적의 안마법을 개발
한 것이지요
도사는 책상 앞에서
보내는 시간도 만만치
않게 많으니까요
아참, 게다가
목의 통증은 사실
어깨에서 온다는 사실!
알고 계셨나요?
또 이상한 걸로
신났네

너는
처음 만났을 때부터
이상한 녀석이었어

금방 흥분해서
자기 세상에
빠지거나

물어보지도 않은 걸
끝도 없이 늘어놓고

틈만나면 남을
난처하게 만드는
재주가 있었으니까

타박
!!

슬 슬

게다가 아무리
밀어내도 계속해서
내게 다가오고…

도사…
네, 뭐가
불편한 점이라도
있으신가요?!

그렇다면 편하게
말씀해 주시죠
한번 시작 한 이상
최선을 다해 성심성의껏
임하겠습니다
좋아해

네, 네?
방금 뭐라고…
드륵

널…
좋아한다고…

아마 지금이
허찬님께서…

그날 못다 한 말을 하시겠다던 때인가 보군요
…!

아니…
그건 아니야…
네?

…사실
도사가 된 후
멋지게 말하고
싶었는데
시험에 계속
떨어지면서 너한테
부담만 쥐여주고…

이대론 안되겠다고
생각했어

그러니까
이건…
내 각오야!!
이번 시험에는
꼭 붙겠다는
내 각오!!

순서는 좀 바뀌었지만 기다려줘!
이번엔 나도 약속을 지킬 테니까!!
그리고… 당당하게 다시 고백할게!!
더 이상 너한테 짐이…
허찬님

그런 생각을
하고 계셨군요

하지만 저는…

엇…

!!

드, 등불에
기름이 다 됐나
보네

어딘가에
기름이 있었는데,
내가…
꽈
악…

아뇨?

지금은…
조금 더
이대로 있었으면
합니다…

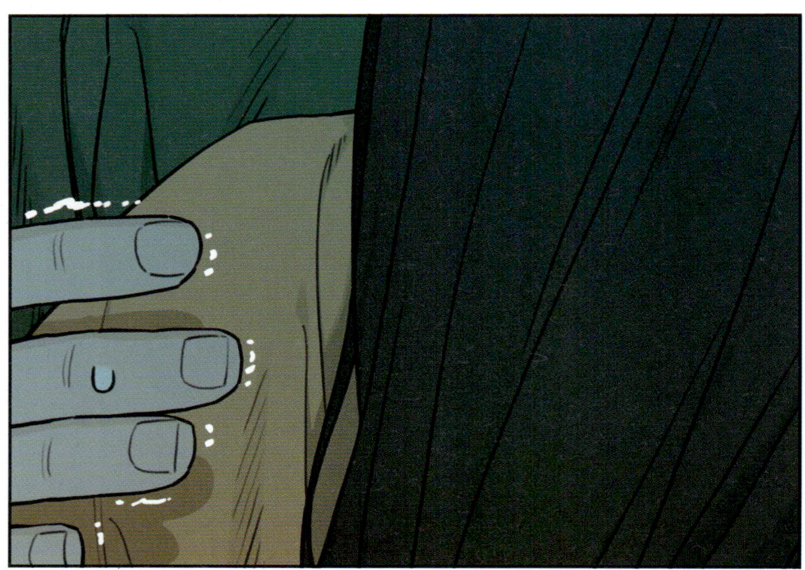

아가씨! 야식을 가져왔답니다!!
벌
컥

드시고… 어라? 왜 아무도…
분명 복도 제일 끝 서재가 맞을 텐데

두 분 다 일찍 주무시러 가셨나?
끼이익…
아니면 남 몰래 단둘이 마실이라도…
오호호, 나도 참 나이 들고 주책만 늘어서~
쿵
갑자기 들어와서 얼떨결에 숨어버렸네
제기랄, 기껏 나도 안아주려 했더니…
후훗, 정말 깜짝 놀랐네요

그렇죠?
헉?!
파앗
주섬...

…놓지 마세요
아시겠나요?

그, 그래…

그리고 허찬님
저는…

꼬옥…

오히려
하루하루가
즐겁습니다

그도 그렇게…

허찬님께서
저와의 약속을 지키기
위해 노력하시는
모습을

이렇게 가장
가까이에서 볼 수
있으니까요

비록 지금은 결과가 뜻대로 나오고 있지 않지만
항상 진지하게 열심히 하고 계시니, 분명
평소보다 더 굳게 마음먹은 이번 시험엔 좋은 결과가 따라 올 겁니다

저도 이번엔 더 열심히 도와드릴 테니 함께 힘내보아요!

그래… 잘 부탁할게
좋습니다! 그럼 마저 공부를… 아,
그전에 집중이 잘 되도록 도와주는 도술이 있습니다만…
…? 뭔데?

쪽

헤...

세 달 후
오늘이 벌써 도사 시험 합격자 발표 날인데…
허찬님께서 이번에 붙으셨을지 걱정이군요
저벅
저벅

아가씨도 걱정되시죠?
아가씨, 앞에 기둥…
후훗, 아뇨? 이번엔 그 어떤 때보다 노력하셨으니
분명 붙으실 거라 믿어 의심치 않습니다
짱
아고!

역시 정신이 전부 그쪽에 가있으시네…
오, 아가씨 이곳에 계셨군요
허찬님께서 늘 공부하던 서재에서 보자고 전달해 달라더군요

앗, 그런가요?
그럼 서둘러서… 응?
데굴

타
타
타
타
타ㅅ

허찬님!!

벌

컥

왔어?

끄응~
도사들이
인간 마을 이야기를
꺼냈을 때는 조금
걱정했는데
여기 생활도
딱히 나쁘진
않네~
후아ㅡ

숨어 다닐
필요도 없고
오히려 편리…
빠안 ——
!

피식
ᄃ

살랑
!!!
후다닥
야, 봤냐?!
방금 나한테
손 흔들어 준거!!
웃기고 있네
날 보고
해준 거야!!
그래도
어디에나
바보는 있단
말이지
불쑥
언니!
바람 다 쐈어?!
나 이야기 계속해도 돼?
응? 응??
그래서 그때
태원이가
어쨌냐면~
어디에나…

재잘
내가 꽃이 예쁘다고 했더니 한걸음에?
재잘
그래서 그 꽃을 내 귀에 달아주고!
쪼잘
막 우물쭈물 했잖네!
쪼잘
귓가에 뭐라고 속삭였는지 알아?!
… …
히히 비밀이야!
그런데 진짜 중요한 건 그게 아니고…
꼬집
악!!
? ? ?
왜 꼬집어?!
아~ 미안 미안 벌레가 앉았길래 쫓아내다가~
쪼잘
그랬구나~ 아무튼 그래서!?
쪼잘
…난 언제부턴가 걔가 늘 옆에 있는 것 처럼 느껴져
정말?! 언니도 태원이의 매력에 빠졌구나?
역시 태원이야!
… …

하아
무사히
잘 지낸거 같아
서 다행이지만
설화 너는
예전이랑 변한 게
하나도 없구나
변한게 없다니
무슨 섭섭한
소리야~
내가 이걸 또 
꺼내야겠어?
처
억
구미호는
곰을 엄도 한다
맨손으로도
가능
한 낮에
기절
자, 여기 그려진
구미호가
나라니까?!
내가 만났던 도사가 
나중에 책으로
만들 거라면서 그린
자료의 견본이야!
예전 같으면 상상도
못 할 일이지?!
…얘 허풍이
너무 심해졌는데?

호랑이 들어와요
호랑이 들어와요

게다가 어디 이것뿐인 줄 알아?
내 넓은 아량으로 인간들과 신령들도 보듬어 줬어!
또 도깨비가 내 부하였거든?
아. 신수도 내 부하였어! 대단하지?
모두가 날 의지했지~
중증이군…
밥 준비나 하자…
하~ 내가 어디 마실이라도 나갈까 하면 걔네가 날 업고 갔지
얼~마나 편했는데~
그러고 보니 내가 도사 처음 만났을 때 이야기를 했던가?
아마 안 한 거 같은데 내가 뭐라고 했는지 알아?
그만 좀 하렴!!
곰 이야기도 자세히는 안 했던 거 같은데, 그치?!
자, 봐봐 이렇게 날아오는 앞발을 피하고~
중요한 건 턱을 노리는…
번개보다 빠른 주먹을, 슉슉
캬
악

듣자 듣자 하니 정말 끝도 없이, 허풍!!
으에… 허풍?? 허풍 아닌데… 전부 사실…
또, 또, 또!! 어떻게 시간이 지나도 나아지는 게 없니?!
아니, 나아지긴커녕 더 심해졌어!!
예전엔 집안일하면 옆에 와서 하는 시늉이라도 하더니
이젠 그냥 대놓고 놀고먹고! 누가 너 키워주기라도 했니?!
도대체 언제까지 그러고 살 거야, 응?!
하, 하려고 했어~! 했는데 언니가 딱 말 꺼낸 거야…!
또 말만 말만! 그렇게 말하면서 지금도 가만히 있잖니?!
정답
콰
앙
너 그러다 태원이한테 차일 걸?!

그…
그럴 리 없어!!
나쁜 말 하지 마!
그… 그건
태원이도 자기만의
사정이 있어서
그런 거야!!
그리고 태원이는
있는 그대로의 나를
좋아해!
어머나~
그걸 어떻게 장담하지?
나는 낌새가 좀
느껴지던데?
태원이가 요즘
너 피해 다니고 있잖아~
응? 응? 못 느끼니?
못 느끼면 유감^^
어머나
형편없는 사람이나
할법한 이야기ㅋ
언니가 남자 마음에
대해서 뭘 알아!!
잘 알아서
인기 많음

언니 미워!!
나 집 나갈 거야!!!

나가서
부지런한 아이로
다시 태어나렴!

삐엥—

...누군가는
해야 할 말이었어

해가 지는데도
들어올 생각을
안 하네…

뭐, 마을 안에서
무슨 일 있겠어?

어린애도 아니니
알아서 잘
들어오겠지

새근…

꼬끼오—
으으… 저놈의 닭… 조만간 백숙으로 만들어 버릴 거야…
언니!! 일어나!!!
으악
꺄악!!

?!
누구??
일찍 일어나는
새가 벌레를 잡는다는
말도 몰라?
두
둥

설화???
밤새 집에 안 들어
오더니 새벽부터
뭐 하는 거야
미쳤니?
그럴 리가!
난 그저 다시
태어나기로
마음먹었을 뿐!
언니가 말하는
부지런하고 어른스러운
구미호로!

자, 그러니까
어서 일어나!!
뭐???
아니, 날 왜…
영문을 모르겠네?!

달 달 달 달
달
ㅇㅇㅇㅇㅇ…
ㅊㅊㅜ추ㅜ워ㅓ…
이 꼭두 새벽부터
무슨 달리기야!
건강한 육체에
건강한 정신이
깃든다
변하기 위한
첫걸음
아니겠어?
그럼 너 혼자
하면 되잖아!

모든 일에는 환경이 중요 한 법
그러니까 나 혼자 하는 게 아니라 언니도 같이 해야지
애초에 변하라고 말을 꺼낸 것도 언니잖아?

하, 참내
앗, 어디 가?!
너무 바보 같은 소리라 집에 간다, 왜?!

기껏 마음먹었는데 언니가 그러면 안 되지~!
흥
불만 있으면 힘으로 막아 보시지?
여우구슬도 없는 네가 내 상대가 될까 싶지만~?

되는데?
곰 잡았다고 했지~?
자, 할 거야~ 말 거야~?
할게… 한다고 하면 되잖아…!
잘 생각했어, 언니 그럼 어서 일어나!
오늘부터 우리 생활을 싹 뜯어고쳐야 하니까
생활을 싹…?
달깍
밥이랑 간장뿐이잖아…? 다른 음식들은??
우리보다 어려운 집에 나눠줬어
힘든 사람들을 돕고 나눌 줄 아는 게 어른이잖아?
꾸우욱
아야야야야야

찰박
찰박
빨래 같은 건
하루 이틀 모아서
하지…?
아니?
생기는 즉시 바로바로!
미루는 습관은
좋지 않아
그리고 앞으론
매일매일 대청소도
할 거니 그렇게
알아줘
으으… 졸려…
밤늦게까지 이게
뭐 하는 짓이야…
수면은 미녀에게
중대 사항이라고…
~옹
미모는 한순간이지만
지식은 한 평생인 법!
현명한 구미호가
되자구~
좋아~!
보람찬 하루 끝!
고생했어,
언니~!!
짝

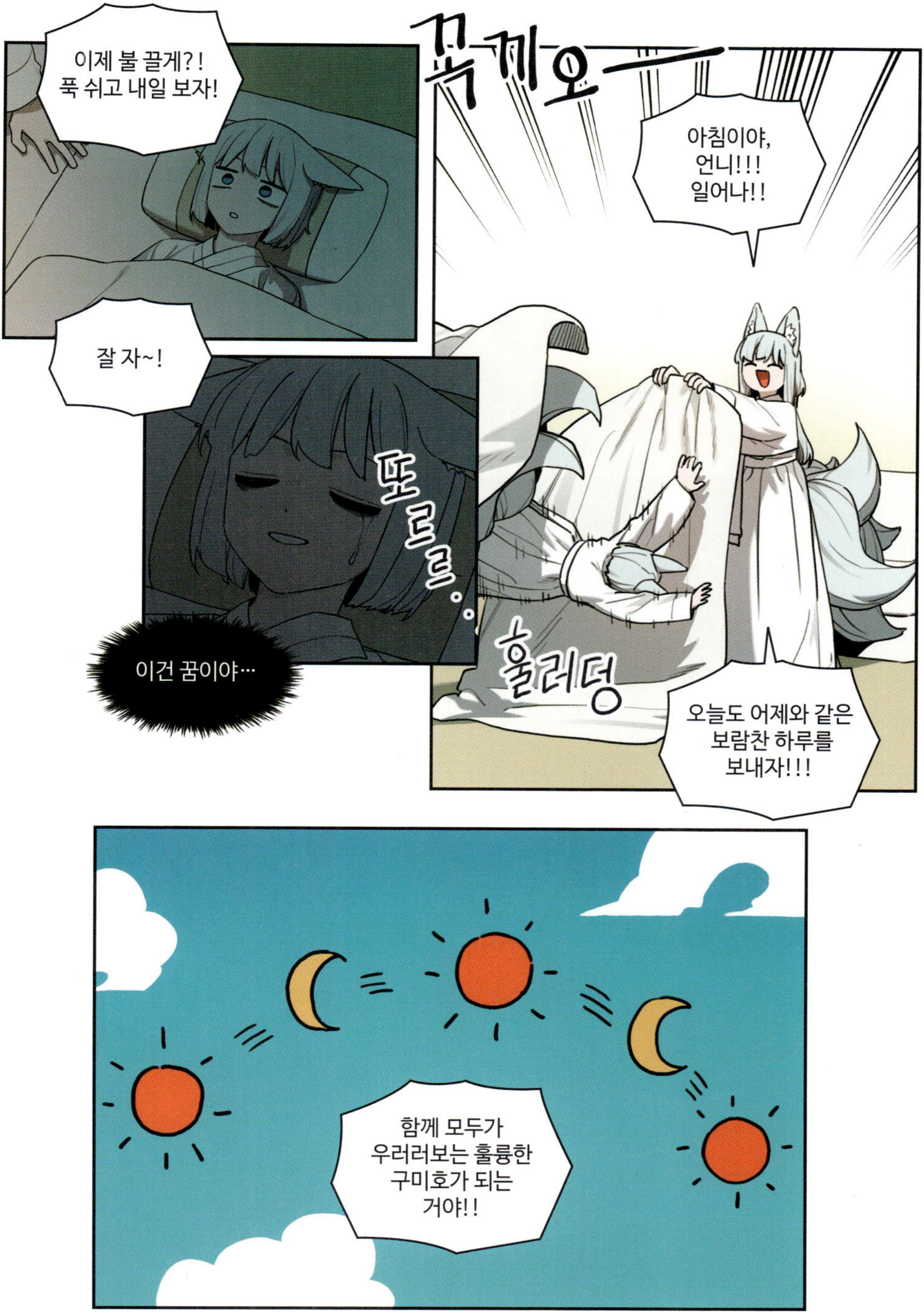

이제 불 끌게?!
푹 쉬고 내일 보자!
잘 자~!
꼭꼬오
아침이야,
언니!!!
일어나!!
또르르…
훌러덩
이건 꿈이야…
오늘도 어제와 같은
보람찬 하루를
보내자!!!
함께 모두가
우러러보는 훌륭한
구미호가 되는
거야!!

쾅

이게 대체 며칠째야…

더 이상 이런 생활은 못해…!

으흑… 설화야
언니 이대로는…
역시 이대로는
안 될 거 같아!
언니도 더 이상
내 방식에 얽매이지
말고
자신의 뜻을
이루길 바라!!
다시 보는 그날엔
둘 다 성공해서
보는 거야!!
어…
응…?
내 꿈을 펼치기에
이 마을은
너무 작아!!!
더 큰 무대로 가서
내 뜻을 이루고
올게!!
잘 있어,
언니!!!
네 꿈이 뭔데…?

2년 후
음~ 여유롭고 평화로운 이 생활…
설화 덕에 놀고먹는 것에 대한 소중함을 깨우쳤어
나는 이제 이 생활에 만족해~
다그닥
다그닥
언니!
처
설화??? 너 그 모습은 뭐니??
장원급제
장원급제???
네가 무슨 장원급제를… 아니, 그보다!!
성공했으면 잘 먹고 잘 살 것이지 여긴 뭐 하러
억
휘리리리릭

꺄악-!!
이게 무슨 짓이야!
빠라바라 밤
당연히 언니가 걱정돼서 온 거 아니겠어?
우린 자매잖아!
그런데 이 모습을 보니 언니가 나를 깨우쳐 줬던 은혜를 이번엔 내가 갚을 차례네!
그때 구박해서 미안하다니까!!?
자, 함께 가자 언니! 예전과는 비교도 안 될 멋진 생활이 기다리고 있어!!
뭐… 뭐라고…? 멋진 생활이라니… 기다려…
난 그런 거 필요 없어…!
아, 그래 사과할게 응?! 너 화나서 그런 거지? 사과하면 되잖아!!
널
떡

꼬끼오
끼이익
앗!
…?
움찔
허억…
허..
어라…?
흐, 흥…! 왜, 왜?!
외박했다고
뭐라 하게?!
난 충분히
어른 이거든?!
그 정도는 자유롭게
할 수 있는
거지 뭐~?
아, 맞아 그리고
태원이가 그랬는데
피해 다니는 거
아니랬어!
언니가 틀렸네요~
메롱 메롱이야

설화 내 동생!!
으에?!
갑자기
뭐야???
와
락
자꾸 구박해서
미안해!
설화 너는
지금 이대로가 좋아!
평생 영원하렴!!
어…
저, 정말?!
나 그럼 계속
놀고먹어도
돼??
그럼 되고
말고~
청소도 빨래도 안 하고
지금처럼 눈치 없이
있어도 되는 거야?!
그래,
다 허락할게!
내키는 대로
살렴!!
헤헤
와~
신난다~~~!
당분간은
설화는
숲속 집을 떠난 뒤
가족을 만나
방탕하고
만족스러운 생활을
이어나갔다고 한다

뽀득
뽀득
크크…
크크크…
어제도
양반 놈들한테
내 기막힌 입담으로
잔뜩 벌었군
덕분에 폐가였던
이곳도 이것저것
들여놓으니
예전에 살던 곳만큼
구색을 갖추기 시작했어
후후후…
어휴,
또 쓸데없는 거
잔뜩 사 오셨네
덜컹

뭐?
쓸데없는 거?!
얀마!
이게 다
장사 도구라고 내가
몇 번을 말해야 하나!
그러지 마시고
돈을 좀 더 가치있게
써보는 건
어때요~?
예로 들어
어려운 사람들이랑
나눈다든가!
내 눈엔 춤추고
노래할 때 가지고
노는 물건으로만
보이던데…
그러면 분명
모두가 무당님을
우러러보고 친구도
잔뜩 생길 거예요

너 하나 먹여주고
재우는 것도 아까워
죽겠는데 내가 왜?!
헛소리할
기운 있으면 나가서
찬거리나 사 와!
치이…

저벅
저벅

무당님 이제
완전히 예전으로
돌아오셨네
툴
툴

그때 오셨던 손님들 막 떠났을 때는 굉장히 상냥하셨는데…
아이고~ 수리님~ 뭐 불편한 거 없으십니까?
사람은 쉽게 바뀌지 않는구나
?
딱히요

그래도 뭐 내 정체에 대한 걱정은 없어졌으니
…응?
우와, 고양이~
…가 아니라 강아지!!
바들
바들
지금 생활도 대만족~
새끼 강아지가 나무에!!

대체 왜
그런 데 있는 거니…
자, 이리 온~
할짝
할짝
핥지 말고!!
흐아…
일단 구하긴 했는데
이걸 어쩐담
달
달
달

주변에 어미도
안 보이고 집으로
데려가기엔…
너 하나 먹여주고
재우는 게 아까워
죽겠는데 그게 왜?!
들키면
큰일 나겠지

미안…
자연에서 강하게
살아가렴
타박…

우리 무당님은
피도 눈물도 없는
분이시거든
어쩔 수…

할짝
할짝
끄응~

으익-!!!
데려와버렸다
아아ㅏㅏ아아!!
샤 샤 샤 샥
이렇게 된 거
더 이상의
후회는 의미 없어!
그치, 가지야?!
끼잉
좋아,
너도 각오가
되었구나
으음…
일단은 오늘부터
이 뒤주가
네 집이야
무당님은
부엌에 잘 안 오시고
자주 외출하시는
편이니까
그때마다
꺼내줄 테니 얌전히
있어야 해?
타박
뭐야, 돌아왔으면
왔다고 말을 해야지
구석에서
뭐 하고 있어?
???
무, 뭐야??
깨악-!!
아아아니
별거 아니에요
그냥 깜짝
놀라서…!
밥 준비
할게요~!!
그날 이후

응? 수리
너 네 밥상은 어쩌고
내 밥상만 차렸어?
아휴, 쇤네가
어떻게 무당님과
겸상하겠습니까
따로 먹겠습니다
척

뭔가 요즘…
빨래를 자주 하는 거
같은데…
내 옷도 좀
줄어든 거
같고…

ㅆㅆㅆ

흠… 정말로
마을 가는데
안 따라온다고?
자꾸 묻지 마세요!
저도 저 할 일 있어서
바쁘거든요?!
평소엔 끈질기게
억지 부리던
녀석이…

추적
추적

풀썩
하- 오늘도
보람차게
보냈다!
가지도 제법
불편한 게 많을 텐데
잘 따라주고 있고
날 전적으로
신뢰하는 게
분명해!

콰르릉
히히, 지금처럼만 지내면 평생…
히익!!
구릉 쿠르릉―
으으… 처… 천둥??
가지는 천둥 치는 거 처음일 텐데..
삐꼼
가지야~ 언니 왔어~
오늘은 특별히 같이…
텅
!!

어… 없잖아?
어디 숨었나…?
아니야…
밖, 밖인가?!
가지야~!!
가지 어딨니~!
가지야~!!
싸아아아
흐윽…
찰박…

설마 길을 잃고 지금쯤…
수리의 현재 가지 상상도
가지를 삼킨 구렁이
가지이… 가여운 우리 가지…
한참을 찾아도 안 보여어…
날씨도 안 좋은데 이 밤중에 어딜 쏘다니다 들어와?
?!
어… 어라…?! 무당님이 왜 가지랑…!
가지? 아… 이 녀석 이름인가
비도 오고 날씨가 춥길래 데려다 방에서 재웠다
그랬구나! 와아~~!!
무사해서 다행이야~!
타닷
우왓, 이 녀석 일단 몸부터 닦아!!

으이구 그래서 강아지 찾으러 나갔었다고?
헤헷
그런데 가지는 어떻게 찾으셨어요?!
무당이라서?? 무당이라서 꿰뚫어 본 건가?!
…그렇게 티 내놓고 안 들킬 거라고 생각한 네 정신머리가 용하다

헉…!
그랬구나… 그럼 이제 내쫓을 건가요? 아마 그렇겠죠??
아무래도 가지는 저처럼 밥값 못 하니까, 흑흑
우엥
자기는 하면 얼마나 잘 한다고
그리고 누가 피도 눈물도 없는 줄 알아?
헛소리 말고 제대로 책임지고 키우기나 해
어, 정말요…? 하지만 전에 저 하나 먹여주고 재우는 것도 아깝다고…

그건 네가 매일매일 잔소리하는 게 짜증 나서 그랬던 거지
그리고 뭐…
네가 그렇게 좋아하는데 내쫓을 수 있겠냐

에헤헤
엉? 뭐야
헤헤헷
뭐냐고

히힛, 무당님! 이렇게 저랑 계속 친구 한 명씩 늘려가 봐요!!
이게 또 잔소리를! 저리 가, 안가?!
물 묻잖아, 인마! 떨어지라고!
찰싹
아얏-!!

위이잉
푸드득

어흥~!!
난 호랑이다~!
나쁜 호랑이!
먼저 잡히는
사람부터
잡아먹어야지!

아구, 무서워 호랑이래 호랑이! 방으로 도망가자~!!
어훙!!
무서워서 손발이 꽁꽁 얼었구나? 그럴만하지!
난 세상에서 제일 무서운 호랑이니까!
랑아, 잠깐만 기다려!
폴짝
나쁜 호랑이는 잠깐 기다려 없지롱
후야미 주아!!
와
락
호미 어훙!
…호랑이는 변했어 착해졌어!
이제 모두랑 가족이야
놀이가 안되잖아

호야랑 랑아 덕에 엄마가 준비하는데 너무 편하다~
삼촌이랑 이모들도 곧 올 테니까 그때까지만 힘내줘
우리 밖에서 많이 놀았으니 방에서 책 읽을까?
응!
언니가 읽어주면 좋아!!
랑아 너도 글씨 배웠잖아~
언니가 읽어주는 게 더 재밌어! 슬기랑 태산이도 그렇지?!
맛짜!
저벅
야~ 꼬맹이들 사이좋게 잘 지내고 있었냐~?
기다려, 기다려 보여줄게!
와-
우르르
약속 날에 맞추어 왔습니다
네?
?
삼촌이랑 이모!!

짠 짠
짠
짜라짠
짠
라랄 라라
짜―안

가진 거
전부입니다.
야, 야…!
용돈 수준이
아니잖아

두 분 어서 오세요
오시느라 힘드셨죠?
백매님은…
안보이시는데
따로 오시나요?
아~ 그 녀석은
안 올 거야
요즘 연애하느라
정신이 하나도
없거든

잘 지내고
계신다니
다행이네요
대성공~!
말도 마 옆에서
보고 있기 얼마나
고역인지 알아?

것보다…
오히려 이쪽에
주인공이 안
보이는데?
무슨 날인지 전혀
모르는 거 같길래
놀라게 해 주려고
마을 보냈어요
자, 안으로
들어가셔요
실례 좀 할게~
아, 그리고 여기
떡 가져왔어
이쪽으로 줘~!

쿠와아악!!
이불 귀신한테 잡히면
평생 이불에 갇혀 살게 되지~!
네, 첫 단추를 잘 꿰어서 인지
요괴와 인간의 마을이 점차 늘어가고 있는 추세입니다
떡
야, 베개 던진 거 누구야!!
정말요?!
모든 일이 술술 잘 풀리고 있지요

계속 이 분위기가 유지된다면 약간이나마 숨 돌릴 틈이 날 테니
아마 그때 날을 잡지 싶네요
어머나~!
꼭 불러주세요! 무슨 일이 있어도 갈게요!!
꺄아아
훌렁
물론입니다! 꼭 오셔서 자리를 빛내주세요!
…?

이리 오너라~!!
오, 이 목소리는…

안녕하세요 약속대로 왔습니다
좋은 날이라길래 나도 같이 왔어~
역시 설화네구만

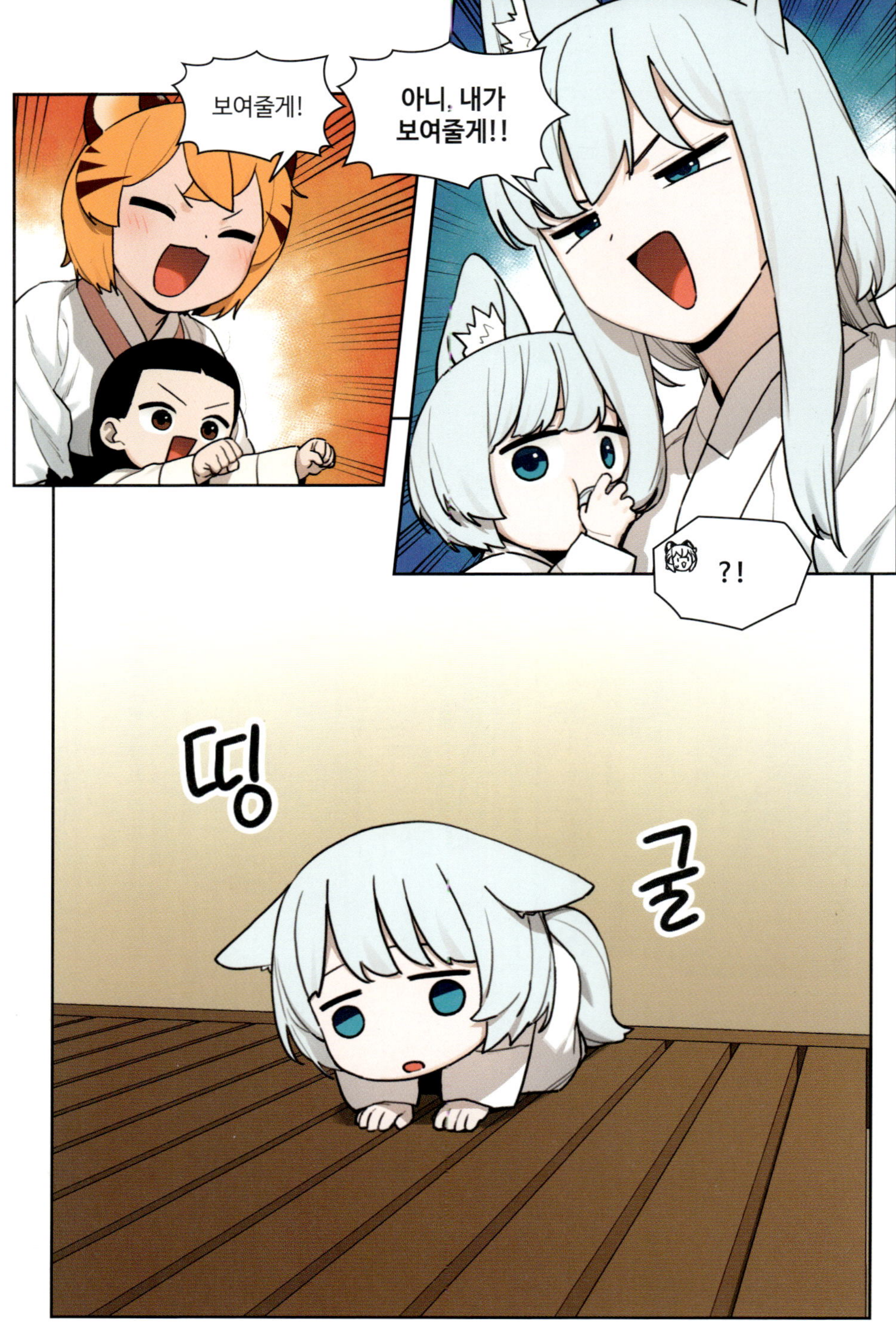

보여줄게!
아니, 내가 보여줄게!!
?!
띵
굴

움 맘 맘 맘 무우우...
짝
소월아~
우리 소월이 뚝~
엄마 여기 있잖아~ 응~?
엄마 여기 있어~
헉, 설마 그걸
하려고…?!
꿀꺽...
쉿, 조용히 지켜봐
소월아~ 엄~마!
엄마예요, 엄마~
엄마한테 빨리
와야지~?
엉큼
웅 맘맘무우
맘무아아
엉큼

아-!!
움무
움무
걸었어!!!

짝
짝
짝
짝
짝
짝
우와~!
소월이 장하다!!
이 팔불출부부…
그치 그치?!
같은 달에 태어난
다른 애들은 아직도
기어 다닌다구~
우리 소월이는
천재라니깐,
천재~!
가진 거
전부입니다.
우와~
이모 감사합니다!
환장하겠네
이걸로 맛있는 거
많이 냠냠할게요~

혹시 다른 것도
보실래요~?

소월이 이쁜 짓도
할 줄 알아요~
소월이 이쁜 짓!

꾹

훗, 끝났군
만족했으면 이제 좀 들어가자~
히히, 좋아! 오늘은 말 그대로 놀고 먹는 날이지?!
음식부터 팍팍 꺼내와 봐~!
아~ 그건 조금만 있다가요
어째서?!
음~

주인공이 마을 가서 아직 안 왔거든요
후우...
아침 일찍부터 고생 많으심다!!
음…
장날을 착각한 탓에 거의 빈손이라 피곤하진 않은데
아침부터 굶어서 출출하구만…
앗, 그렇다면 제가 얼른 달려가서 어머님께 말씀 드리겠슴다!
그래주면 좋지

타다닷
으
얼레?
아무도 안 보임다
다들 어디에…

담비 생일 축하해~!
까해!!
에?!

오랜만이다
잘 지냈냐?
생일
축하드립니다
기다리느라
목 빠지는 줄
알았네~
호
띠
용
에
띠
요
용
에
에
에
에
에에!!
띠
요
요
용

이, 이게 대체 어찌 된…
이건 늘 고생하는 담비 선물
마음에 들었으면 좋겠네
생일이 다가오는데 담비가 전혀 모르는 거 같길래
놀라게 해주려고 우리끼리 몰래 준비했지
앗… 아… 그럼… 아침 일찍 마을에 간 것도 전부…
뭐야, 너 우냐? 이 녀석 진짜 의외로 눈물이 많다니까
이익… 이건 우는 게 아니다!! 울기 직전일뿐!
우리 밥 언제 먹어?
지금요~! 담비덕에 오늘은 맛있는 거 잔뜩이에요!
그렁…

꺄르르
아하하하
♪

권말 부록

호들요 단편선

#1

슈와와왕~
아~…
이야!!
탱
아니야…! 
이건 비행기를
손으로 쳐서 격추시키는
놀이가 아니라구…!
꺄르르

끼익
랑아 다 씻었으니
호야도 양치하고…

새근…
잉, 기다리는 동안
잠들었구만

흠…
이러면 어쩔 수 없이
양치는 못 하겠네

남은 건 그럼
자기 전 뽀X로
보는 것 뿐인가?

#3

호야가 단단히
삐졌구만 무슨 일
있었나?
아…
그게…

낮에 같이
앨범을 봤는데
자기 태어난 날
랑아가 안 왔다고
삐졌어…
나는 랑아 태어난 날
갔는데
저런…

뽑기 놀이중
아으—!
또 꽝이잖아!!!
인디안밥
100대
헤헤—!
언니가 또 졌다
빨리 대!
랑아도 빨리 와~!
인디언— 밥!!
아야야야야
야아바밥!
아팟—!
좀 살살해!

그럼 이제
다음 판~
…뭔가
이상해
어떻게 내가
10번 연속 지지?
너 그거 이리 줘봐
인디안 밥
100대

인디안밥
100대
인디안밥
100대
야

#5

하~ 집이다

내가 비 제일
많이 모았어!!
앗니야!
나마!
응… 다음부턴
우산 씌우자

호랑이 들어와요 10

2025년 12월 15일 초판 1쇄 발행

지은이 배세혁, 유은
디자인 백승주, 오세찬
편 집 오세찬, 정성학
마케팅 이수빈
협 력 강이설, 박슬기(네이버웹툰)

펴낸이 원종우
펴낸곳 블루픽
주소 (13814) 경기도 과천시 뒷골로 26, 2층
전화 02 6447 9000   팩스 02 6447 9009
메일 edit@bluepic.kr

ISBN 979-11-6769-411-9 07810 (10권) 979-11-6085-825-9 07810 (세트)
정 가 14,800원